La botte secrète
de Bidochet

La botte secrète de Bidochet

Texte et illustrations de Pierre Dubois

Hachette

C'est Anatole, le hibou magicien, qui chaque matin réveillait Bidochet le petit ogre, son ami...

De son perchoir — un petit lit à baldaquin dressé au sommet d'une vieille armoire —, il voletait jusqu'à l'édredon à pompons sous lequel sommeillait Bidochet. Arrivé là, il exécutait quelques exercices d'assouplissement pour se dégourdir pattes et ailes, nasillait des « une, deux, une, deux » entrecoupés de quintes de toux, ululait quelques vocalises et enfin se chatouillait les trous du bec pour se faire rigoler car, affirmait-il, « fou rire le matin, journée pleine d'entrain ».

Cela fait, il s'attelait à la plus rude des tâches : tirer de son sommeil douillet Bidochet, l'enfant terrible de Croc Goulu le Grand Viandard et de Sylvine la bergère.

Pour commencer, il lui clamait dans les oreilles : « Debout ! Il est l'heure ! » — tout en sachant bien que cet ordre n'aurait pas le moindre effet sur le dormeur.

Venait ensuite la deuxième phase ; utilisant la technique dite de « martelage », le hibou sautait, bondissait, rebondissait sur le ventre de l'ogrelet, à pattes jointes, en scandant : « De-bout ! De-bout ! De-bout ! »

En désespoir de cause, Anatole passait à la stratégie de la fanfare militaire. Imitant le tambour et le clairon, il arpentait le lit, pareil au régiment défilant à la parade, et ce bruit assourdissant parvenait enfin à faire entrouvrir une paupière au paresseux.

Et encore, ça ne réussissait pas toujours. Surtout par ces petits matins tout froids et glauques de novembre, où Bidochet se pelotonnait davantage sous l'édredon. Alors le hibou,

épuisé, glissait sur la carpette et s'endormait pour la journée, et Sylvine devait intervenir pour envoyer son rejeton à l'école.

Or, cette aube-là, alors qu'Anatole ronflotait encore, il fut réveillé — événement inconcevable — par Bidochet, debout... déjà débarbouillé... occupé à se vêtir... en chantant !

« Mais il chante ! Non, ce n'est pas possible ! Je rêve ! dit le hibou en se pinçant. Il est déjà debout, habillé... et il est à peine sept heures ! » Affalé sur le derrière, le pompon de son bonnet de nuit lui tombant sur le menton, Anatole admira la prestesse avec laquelle le petit ogre enfilait ses guêtres, qu'ordinairement il mettait trois quarts d'heure à boutonner.

« Hou je... je... heu... tu te sens bien, Bidochet ? demanda-t-il. Je... euh !

— Tiens, tu es encore couché, gros flemmard ? Allez, bonne journée ! A ce soir !

— Mais mais mais... hou, at-attends-moi... Où vas-tu comme cela si fougueusement ? Tu as faim ?

— Je vais à l'école.

— A l'école ! Avec tant de hâte ? »

Pour le coup, le hibou ne comprit plus rien du tout.

*

« Miamfouiiiiipeeeechaigrouwoupffflgizouaou-nouiiimiam ! » Poussant le cri de guerre préféré d'un lointain ancêtre, Bidochet glisse le long de la rampe spiralée menant à la cuisine, tout en nouant autour de son cou, pendant la descente, sa serviette de table, qu'il ne quitte jamais.

En bas, ça sent bon le chocolat au lait, les tartines grillées et beurrées que Sylvine grignote. La météo emplit la radio de prévisions tellement glaciales que le poste, frigorifié, claque de tous ses boutons et éternue des paquets de givre par le haut-parleur.

« Il faudra bien te couvrir aujourd'hui, on annonce encore de la neige, dit Sylvine, un peu étonnée de voir son fiston déjà levé, lavé, lacé, là.

— Jour' man ! » dit-il avec une bise. D'un habile revers de dague il tranche un pain en deux, renverse sur chaque face un pot de miel de bruyère et un pot de confiture de mûres, et trempe le tout gaillardement au beau milieu d'un saladier de chocolat au lait, fumant et crémeux.

« Attention, c'est chaud, tu vas te brûler !

— Meuh non ! » proteste-t-il en aspirant d'un coup la moitié du liquide en ébullition.

D'un dernier coup de dents et d'une ultime lampée, il a terminé son petit déjeuner, plié et empoché sa serviette, endossé son cartable, agrafé sa cape de fourrure. Rebise Maman, bise Papa que les effluves de chocolat viennent de tirer du lit.

« Au revoir ! » crie Bidochet à toute la maisonnée. Il ouvre la porte donnant sur le pont-levis rabattu au-dessus des fossés verglacés, qui chaque été s'emplissent de fleurs odorantes et de grenouilles mélomanes.

Le vent pique et mord le visage du petit ogre et lui emplit les poumons d'un air vif. Il renifle et regarde le paysage noir de nuit et blanc de neige, silencieux et brillant de gel sur le velours sombre du ciel, dressant ses buissons de chantilly, ses collines de farine, ses coteaux meringués, ses petits toits de dragées.

Il chausse ses patins, et le voilà parti, sous l'œil étonné de ses parents qui le regardent s'éloigner par la fenêtre.

« Il a l'air bien pressé, constate Croc Goulu.

— Hou hou ! bredouille Anatole, venant les rejoindre. Je ne l'ai jamais vu aussi impatient de se rendre à l'école.

— D'habitude, je suis presque obligée de le pousser dehors, s'inquiète Sylvine. Lui qui viderait bien la huche chaque matin, il n'a mangé qu'un pot de miel et un pot de confiture ! Il a même oublié de prendre son dix-heures, son supplément de midi et son quatre-heures.

— Hé hé ! Je devine... s'esclaffe Croc Goulu. Il a hâte de rejoindre Zolie Lalie ! »

*

C'est vrai ! Bidochet est heureux, et s'il caracole aussi rapidement sur le chemin de l'école, c'est qu'il va retrouver là-bas sa petite amie à fossettes, Zolie Lalie ! Depuis la veille, ils sont « fiancés »...

Il court, saute par-dessus les crevasses que le gel a formées, glisse sur ses patins, filant à toute allure sur la neige glacée, dans un bruit d'enfer.

*

Zolie Lalie, c'est la seule amie de Bidochet, c'est la seule de toute la classe que sa forte personnalité n'effraie pas et même a séduite. Bidochet a du mal à se faire accepter par les enfants de l'école : il est trop fort pour eux, il a trop d'appétit, il est trop grand, trop téméraire. Il est le fils d'un personnage fantastique et il veut devenir chevalier au lieu de fonctionnaire. Le maître, M. Conforme, ne l'aime pas non plus. Tout le monde l'évite ! Alors pour une fois qu'il a une amie, il y a de quoi chanter et se dépêcher de la retrouver !

L'école est en bas, non loin du village. D'un saut il descend la pente et semble planer au-dessus du paysage qu'une légère lueur éclaire... Le soleil en se levant passe une couche de sirop rose sur toute cette sucrerie et donne des couleurs de fruits confits aux baies gelées piquées au bout des branches. Bidochet atterrit sur un pied et finit sa course bras écartés, la taille cambrée, car il veut réussir une arrivée artistique à la porte de l'école afin d'épater son amourette. Mais catastrophe ! Voilà M. Conforme, l'austère instituteur, qui se dresse soudain devant lui. Surpris, Bidochet n'a pas le temps de freiner et paf ! il renverse le maître, entraînant dans la chute un monsieur et une dame ayant l'air fort en colère. Le petit ogre, horrifié, reconnaît... les parents de Lalie !

« Aaaaaah ! » hurle M. Conforme en tombant sur le derrière.

Et tandis que les trois grandes personnes avec difficulté se redressent, puis toussent, puis

grommellent, puis grelottent et s'ébrouent, le rejeton d'ogre balbutie des excuses tout en devinant que les affaires vont très très mal.

« Bravo, félicitations, monsieur Bidochet ! Alors, on joue au bowling avec les gens, maintenant ? Mettez vos doigts comme cela ! »

glapit M. Conforme. Et de sa règle, qu'il porte toujours au côté comme une bien piètre épée, il assène une volée de coups sur les mains de Bidochet.

Bidochet trouve que le maître a l'air vraiment ridicule quand il se met si fort en colère. Pourtant, il n'a guère le cœur à rire car il sent que la présence des parents de Lalie ne présage rien de bon.

« Ce monsieur et cette dame sont venus se plaindre de vous, Bidochet ! Que faisiez-vous hier à cinq heures ? Mmm ?... Répondez ! »

Bidochet pourrait mentir, mais il a le cœur droit et avoue :

« J'ai emmené Zolie Lalie dans les bois.

— Évidemment, un enfant d'ogre, avec un tel père ! Le misérable ! Il voulait manger ma fille ! tonne le papa.

— Ah non, proteste Bidochet, elle est bien trop gentille. Et puis il y a belle lurette que les ogres ne croquent plus les marmots !

— Mais qu'alliez-vous faire dans la forêt par un temps pareil ? interroge le maître.

— Jouer avec les lutins.

— Les lutins ! Toujours vos mensonges !

— Mais non. Il y avait Tinin, Titus et Tinola, Tini, Tinez, Tinol et Tipin et tous les autres.

— Et ensuite pourquoi est-elle rentrée si tard ? ... Mmm ? Répondez !

— Heu... eh bien... c'est que les loups nous ont attaqués.

— Les loups ! Il a entraîné ma fille dans la gueule du loup ! Vous rendez-vous compte comme elle a dû souffrir !

— Mais non, avec Papa on les a mis en fuite. Et ensuite on est rentrés au château, jusqu'à minuit.

— Ciel ! Vous rendez-vous compte comme elle a dû avoir faim !

— Mais non, maman nous avait cuisiné un tas de bonnes choses à manger, des tartes, des gâteaux, des brioches, des clafoutis, des biscuits, des chaussons. Il y avait du champagne de rhubarbe, du vin de sureau, du thé de pêche, de l'infusion de poire, du sirop de mûre et du jus d'abricot.

— Ensuite ?

— Mon papa l'a ramenée chez elle sur ses épaules.

— Est-ce vrai ? demande M. Conforme aux parents.

— Elle est rentrée vers minuit en nous disant qu'elle s'était bien amusée et que doré-navant elle aimerait se rendre chez l'ogre, tous les mercredis après-midi : vous rendez-vous compte... chez un ogre ! s'étrangle la mère.

— Monsieur Bidochet... Je vous mets à la porte de l'école pour quinze jours, avec des centaines et des centaines de pages à copier. Et à partir de cette minute, interdiction for-melle d'adresser la parole à Zolie Lalie ! Mmm ? » conclut impitoyablement le maître.

*

Bidochet, lentement, remonte la côte qui le ramène au manoir. De loin il a aperçu le minois en pleurs de son amie collé à la fenêtre de l'école. Ils se sont fait tristement un léger signe d'adieu et il a le cœur aussi lourd qu'un diplodocus ayant gobé un train complet d'enclumes.

« D'abord j'en ai marre d'être un ogre ! Que d'abord à cause de cela, les autres, ils m'aiment pas ! Et puis que d'abord le maître c'est un petit rabougri à gros nez, et que les petits rabougris à gros nez c'est toujours méchant ! explique Bidochet, en larmes, dans les bras de sa mère où il est venu se réfugier pour épancher sa peine.

— Ne t'en fais pas... Tu la reverras bientôt... ta Lalie.

— Non "ils" ne veulent plus que je lui parle.

— Mais cela passera, c'est parce qu'"ils" ont eu très peur.

— Non. Je suis condamné à toujours être seul... beugle le petit ogre, cornant son chagrin aussi puissamment que Roland corna son angoisse à Roncevaux. Je suis *t*'un incompris. Puisque c'est ça, je vais me retirer du monde ! »

Et Bidochet courut s'enfermer dans la plus haute tour.

*

Assis, la tête dans les mains, le petit ogre médite sur ses malheurs, boudant la table malgré les bons et plantureux repas que Sylvine prépare tout exprès pour le consoler : poulardes fourrées aux truffes et aux marrons, buisson d'écrevisses, anguilles à la crème, champignons au jus et gâteaux croulants de choux caramélisés, de roses en massepain et de coulées de chocolat.

Rien n'y fait. Bidochet boude même les tours de magie que lui prépare Anatole. Pourtant, des tours, le hibou en a plus d'un dans son sac à malices : avant d'être hibou, il était magicien, un grand magicien mais tellement étourdi qu'un jour il s'était par mégarde transformé lui-même en volatile... Aujourd'hui, même la magie ne peut rien pour distraire le petit ogre de son gros chagrin.

Et le vieux hibou, le chapeau pointu pendant sur le côté, la baguette magique traînant derrière lui, tourne en rond et ne sait plus quoi inventer afin de dérider le petit ogre désespéré.

Bidochet boude aussi les plus belles histoires de chevaliers que lui conte Croc Goulu avec force gesticulations, mimant fracas de batailles, chocs de tournois, effondrements de murailles, explosions de porte-avions et prises de tranchées. Habituellement cela fait toujours beaucoup rire Bidochet car, emporté d'enthousiasme par son récit, Grand Viandard se perd dans les époques, mélange le début et la fin, et casse beaucoup de vases précieux en mimant les duels. Mais aujourd'hui le petit ogre reste coi.

Lorsque le soir tombe, il s'enveloppe d'une peau d'ours et, debout sur les créneaux, il chante sa peine dedans la cornemuse, modulant par trémolos les accents de l'amour perdu. Du fond de leurs tanières, les loups, toujours prêts à foncer museau baissé dans les histoires romantiques et pressentant que c'est un peu leur faute si Bidochet pleure ainsi, viennent à la queue leu leu derrière leur chef s'asseoir autour du château pour accompagner la musique de leurs longs Houuouou... plaintifs. Oui ! Ces mêmes loups que le petit ogre et son père avaient mis en déroute, ayant admiré sa vaillance, ont décidé de lui offrir leur amitié et leur protection, pour le remercier d'avoir épargné la meute. Au pied de la plus haute tour, les hurlements lancinants vibrent sous les étoiles. Les échos les renvoient de forêts en landes et de landes en prairies, jusqu'à la maison de Lalie qui, au creux de sa chambrette, entend le message et mouille la couette de son lit de petites larmes douces amères.

*

Il y a plus d'une semaine déjà que Bidochet est en pénitence, s'étiolant dans le donjon. Il a perdu ses belles joues rubicondes. Il regarde d'un œil mélancolique la pluie tomber. La neige en fondant a barbouillé la campagne de boue, et toute cette grisaille ressemble au cœur du petit ogre.

« Allons ! c'est l'heure de ta leçon d'escrime, lui crie son père, de la salle d'armes.

— J'ai pas envie.

— Si, si. Un futur chevalier n'a pas le droit de se laisser ainsi aller. Que dirait Lalie si elle te voyait comme cela, tout ramolli ? Nom d'une pipe ! Hein ? Tu l'as séduite parce que tu étais courageux et costaud, alors prends cette épée et en garde, fiston ! »

Bidochet se met alors en position. C'est vrai qu'il doit être fort, il « leur » montrera un jour de quoi il est capable. Et il pare promptement les coups de taille que Croc Goulu lui porte, et riposte de pied ferme.

« Ha, ha ! Voilà qui est mieux ! apprécie le géant. En avant ! » Et les lames cliquettent, pirouettent, passent dessous dessus, feintent, tintent. Les gardes se choquent, les souffles se font courts.

« C'est bien, fifils de mon cœur. Tu fais de gros progrès. Bientôt tu pourras rivaliser avec

les meilleurs escrimeurs ! Mais surveille tes attaques, évite le regard de l'adversaire, concentre-toi sur ses mouvements. »

Grand Viandard frappe au côté et Bidochet baisse son épée, chasse la lame de son père en donnant quelques coups brefs, amorce une attaque sur la gauche et brusquement bondit à droite et porte une estocade que le maître d'armes évite de justesse.

« Bravo ! Ha ha ! Je vais t'apprendre une botte secrète de famille que l'on se transmet de père en fils. Ce n'est pas qu'elle soit vraiment secrète, mais pour une botte, c'est une vraie botte ! Allez, mets-toi en garde. »

A nouveau les épées se croisent et après quelques passes :

« Regarde, Bidochet. Lorsque tu sens que ton ennemi a le dessus et qu'il devient dangereux, en fouettant l'air de ta rapière tu t'approches de lui, tu décris de grands moulinets au-dessus de ta tête. Il va obligatoirement surveiller ton attaque du haut, alors brusquement, tu lui places la botte secrète, c'est-à-dire que d'un coup de ta *botte* tu lui écrases un bon coup le bout des orteils. Comme cela !

— Ouhaülleyououou !!

— Et tu l'achèves ! Hé hé ! Ce n'est pas noble, mais c'est très efficace...

— Oh, pour ça oui ! » constate le petit ogre en sautant à cloche-pied.

Cette nuit-là, après le concert quotidien, les loups viennent apporter quelque chose à la porte du château, criant à Bidochet dans leur langage de loups :

« Descends un peu voir ton cadeau ! »

Quel merveilleux cadeau ! Un louveteau tout noir, aux yeux étonnés et à la truffe frémissante.

« Je te donne le plus beau louveteau de ma dernière portée en gage d'amitié, dit le chef de la meute. Prends-en bien soin, petit homme courageux.

— Merci, dit Bidochet. Merci ! » Et il serre l'animal au pelage duveteux dans ses bras.

« Tu nous as combattus loyalement, l'autre jour, reprend le loup. Si tu as un jour besoin de notre aide, appelle-nous... Nous viendrons aussitôt. »

Et ils repartent silencieusement tandis que le petit ogre réveille sa famille afin de leur montrer le bébé fauve qui le pourlèche joyeusement.

« Hou, qu'il est drôle !

— Hi hi hi... rit Bidochet, il est noir comme un diablotin ; je vais l'appeler Méphisto. Écoutez, il a un défaut de prononciation. » Effectivement, au lieu de crier « Houououououou » comme tous les autres de sa race, le bambin loup jappe un « Zouououou » révélant un très sérieux zeveux zur la langue.

« Oh ! j'aimerais tant le montrer à Lalie. »

Ému par la réflexion de son fiston, Croc Goulu le Grand Viandard se sent à nouveau ogre. C'est vrai, de quel droit est-ce qu'on ennuie son fils, uniquement parce qu'il est un peu fort et un peu rêveur ? Pourquoi ne peut-il pas vivre comme les autres ? Croc Goulu sent la colère monter en lui. Quelle cruauté de l'avoir séparé de sa petite amie, lui qui est si gentil et si doux !

« Je vais un peu lui parler, moi, à ce M. Conforme, tonne-t-il si soudainement que tous sursautent et que la tour penche d'émotion.

— Tu ne vas pas faire de folies au moins ! s'inquiète Sylvine, essayant de retenir son grand ogre d'époux.

— Non mais franchement, quinze jours de punition pour une gentille promenade au bois ! J'en ai assez qu'on martyrise mon pouponnet à moi.

— Papa !

— N'y va pas ! » supplie encore Sylvine.

Trop tard ! Ses bottes de sept lieues l'emportant de bond en bond à travers l'espace, l'ogre ébranle le sol à chaque coup de talon. On se terre, on se tasse dans les chaumines. Les cheminées tremblotent à son passage.

Du donjon, Bidochet, l'œil rivé à la longue-vue, Méphisto sur les épaules, voit arriver Croc

Goulu au village. Rouge de colère, le sourcil froncé, la barbe en bataille et la moustache en W majuscule, l'ogre se dresse sur la place de la mairie, son ombre gigantesque effleure les étoiles. Les maisons se font toutes petites autour de lui et cramponnent leurs volets.

« Saperlotte de saperlotte de gigot en compote... » tempête l'ogre. Et la fontaine du lavoir, près de l'église, n'ose même plus glou-glouter. « Ah ! vous ne voulez pas que mon rejeton joue avec les vôtres ! Attendez un peu ! Quant à vous, monsieur Conforme, clame-t-il encore en se dirigeant vers la demeure de l'instituteur, vous devriez montrer l'exemple et apprendre aux enfants l'indulgence et la géné-rosité, deux choses que vous semblez ignorer, comme tout le monde ici... Hein ? »

Le colosse saisit le toit de la maison du maître et le soulève tandis que de l'autre main il cherche à l'intérieur, trouve et sort un M. Conforme gigotant et blême, qu'il accroche par le fond de sa chemise de nuit au coq du clocher goguenard.

« Au secours ! glapit M. Conforme. Au secours ! Atchoum ! » éternue-t-il car la bise, heureuse de trouver une victime, vient lui chatouiller l'échine de ses doigts glacés.

« Bravo ! Vive Papa ! » crie Bidochet, là-haut, sur son créneau.

Croc Goulu, après une pirouette légère comme un entrechat de mammouth, salue comme au cirque et, satisfait, s'en retourne chez lui.

*

A l'heure où au manoir Bidochet embrasse son père et lui fait fête, un étrange équipage sort de la forêt surplombant la vallée. Voici qu'apparaît Méchant Michu, l'horrible roi-sorcier des montagnes froides, vêtu de sa cotte de mailles d'acier noir et de sa houppelande en peaux de hérissons. Le casque-couronne dont il est coiffé ressemble à une maquette de centrale nucléaire, plein de gros boutons. Il

observe le village, en se grattant méditative-
ment le front, sa tête est si repoussante que
même les pieuvres par neuf qui hantent les
océans attrapent la chair de poulpe quand elles
l'aperçoivent.

Près de lui, à sa droite, ricane mielleusement
son inséparable conseiller en mauvaises actions :
Étriquet le Rabougri, le Grand Méchant Bêlant,
dont la plus grande joie dans la vie serait
d'égaler un jour la laideur de son maître.
D'ailleurs il consulte souvent un miroir magique
et lui demande :

« Gentil miroir, suis-je le plus hideux du
royaume ?

— Hélas ! répond toujours le miroir. Hélas !
Grande est ta laideur, Étriquet, mais gélatineux
comme la méduse, écailleux comme le caïman
et moche comme un pétrolier éventré sur une
côte bretonne, Méchant Michu est bien plus
vilain que toi ! »

Méchant Michu est bien le plus laid et le
plus écœurant tyran que la terre ait jamais
porté. Aussi cruel que laid, ce sinistre individu

veut étendre son pouvoir le plus loin possible sur la planète : il veut la richesse, la gloire, il veut conquérir et conquérir encore.

« Je vais m'emparer de ce petit bourg que voici ! » décide-t-il, pointant son doigt crochu vers le village où M. Conforme se trouve suspendu au clocher tel un polichinelle à son perchoir. La place est encombrée par la voiture des pompiers et par la foule frileuse des curieux venus assister au sauvetage de l'infortuné maître d'école.

« Sont-ils cocasses ! se moque Étriquet le Rabougri.

— Hé hé, effectivement, j'ai l'impression que ces fantoches se plieront à toutes mes volontés !

— Tous courbent l'échine devant votre puissance, Sire, s'aplatit le Grand Méchant Bêlant.

— Certes ! Grâce à mon intelligence, mon invincible armée... et grâce aussi, bien sûr, à Patatrac. Pas vrai, Patatrac ?

— Graoutchmeuh ! rugit alors dans la nuit

une immense masse émergeant de la forêt où elle s'était couchée, attendant qu'on l'appelle.

— Oh ! mais c'est un bon toutou, ça ! » minaude le terrible roi caressant à rebrousse-tignasse l'énorme mufle du dragon. Car il s'agit d'un dragon géant. Tout vert, avec une crête et des pois rouges sur le dos, il possède une formidable queue en éventail, capable d'abattre plusieurs chênes rien qu'en frétillant de conten-tement.

« Demain matin, Patatrac, tu viendras te promener par ici », ordonne Méchant Michu, flattant toujours la rugueuse encolure du sau-rien qui ronronne et laisse échapper de sa gueule des petits cœurs de fumée. « Et qui est-ce qui aura quelques enfants bien dodus à croquer, s'il fait bien son travail, quand je serai devenu le maître de ces lieux ?

— Graoutchmeuh ! » répond Patatrac se désignant de la griffe et salivant d'avance.

Et les deux sinistres coquins, suivis de leur molosse, s'enfoncent à nouveau au cœur de la nuit, tandis qu'au château, Bidochet, pelotonné contre Méphisto, rêve à de belles aventures sans se douter du drame qui se prépare.

Au matin, comme tous les matins, les enfants se rendent à l'école, sauf Bidochet que la punition retient toujours au manoir. Après le petit déjeuner, il gagne la bibliothèque où s'entassent des centaines de vieux livres à belles reliures de cuir, et sous la surveillance d'Anatole il écrit toutes les pages que M. Conforme lui a donné à copier. Il soupire, suce son porte-plume, resoupire, regarde une feuille voler, reresoupire et rêve à Zolie Lalie.

Zolie Lalie, quant à elle, ressent chaque matin un pincement au cœur lorsqu'elle traverse le sentier par lequel descendait Bidochet. Ils faisaient route tous deux jusqu'au village, elle l'écoutait raconter de belles légendes, il avait une histoire pour chaque fleur, chaque arbre, chaque animal rencontré sur la route ! Comme il lui manque !

Voilà l'école ! Dans la cour de récréation, tous attendent que la cloche tinte pour rentrer. Ils jouent sous les platanes et les marronniers,

emmitouflés d'écharpes, de pèlerines et de passe-montagnes. Mais, curieusement, la cloche reste muette.

« M. Conforme doit être malade, après le coup de froid qu'il a pris cette nuit. Vous l'avez vu gigoter en haut du clocher ? s'esclaffe un moqueur.

— Oh oui ! C'était bien rigolo !

— C'est le papa de Bidochet qui l'a accroché...

— Chuuut ! commande Lalie, j'ai entendu quelque chose.

— Arrête, tu nous fais peur ! Il n'y a personne dans la classe, je viens de regarder. Nous devrions tous rentrer chez nous.

— D'accord. »

Et tous de rebrousser chemin.

« Graoutchmeuh ! »

Soudain ce rugissement les cloue sur place. Flap flap flap, un bruit d'ailes assourdissant leur dresse les cheveux sur la tête. Derrière un nuage apparaît un énorme dragon vert et rouge qui crache le feu et dont les yeux lancent des éclairs. Après quelques loopings, il fonce droit sur le groupe que la terreur éparpille...

« Sauve qui peut ! » crie un enfant avant d'être happé par la gueule du monstre.

Ils courent vers la grille, trébuchent, tombent et disparaissent l'un après l'autre dans le ventre du dragon.

Zolie Lalie a réussi à escalader le mur et profite de ce que le dragon joue au chat et à la souris avec le dernier bambin pour s'enfuir, de toute la force de ses petites jambes. Ah ! si le petit ogre était là, ainsi que son papa !

Horreur, Zolie Lalie sent un souffle chaud lui passer dans le dos.

« Graoutchmeuh ! rugit le dragon.

— Au secours ! » hurle Zolie Lalie. Mais...

Crac ! Lalie est avalée !

*

Chantonnant et souriant béatement aux oiseaux, Patatrac vole au-dessus des nuages, satisfait d'avoir mené à bien sa mission. Quel-

quefois il réprime un fou rire, car les coups de pied des garnements contre la paroi de son ventre le chatouillent.

« Capture les enfants du village, lui a commandé son maître bien-aimé Méchant Michu le grand roi-sorcier, et amène-les-moi ici. »

Patatrac les a donc non pas mangés mais emprisonnés dans sa vaste chambre froide — il y en a une dans le ventre de tous les dragons, c'était bien connu.

Le gosier d'un dragon se compose comme chez l'homme de deux trous, le trou menant à l'estomac et le trou du dimanche ou trou à tarte qui sert à s'étrangler quand on avale de travers. Le trou du dimanche ou trou à tarte, chez ce curieux animal, fait office de réserve : c'est là qu'il entrepose son matériel de jardinage, sa malle à souvenirs, ses pantoufles et les gens à manger plus tard. C'est donc là qu'il a emprisonné Zolie Lalie et les autres enfants afin de les mener au roi des montagnes froides.

Après avoir vu cette énorme gueule écarlate

DRAGON
GOTHIQUE

se refermer sur eux, les enfants un à un ont glissé le long de la pente raide menant à la chambre froide et se sont tous retrouvés assis pêle-mêle l'un contre l'autre. Que va-t-il se passer ? se demandent-ils. Et déjà beaucoup pleurent, crient et se lamentent en appelant : Maman !

Brusquement un changement de direction les propulse sur un côté, puis sur l'autre. Un tiraillement dans le ventre leur fait deviner qu'ils descendent rapidement. Zouououu... Voici le dragon arrivé au plateau du rendez-vous. C'est là qu'il doit apporter les enfants à son maître. En bas, il aperçoit le bivouac de Méchant Michu et d'Étriquet le Rabougri.

« Graoutchmeuh ! » les salue-t-il. Et sortant le train d'atterrissage, il ralentit l'allure, déplie ses ailerons et freine.

« Ça y est, on dirait que nous sommes arrêtés, crie alors un garçon.

— Où sommes-nous ? » De l'extérieur, à travers les couches de graisse qui tapissent le ventre du dragon, une voix rocailleuse leur parvient :

« Bravo, Patatrac ! Tu as bien travaillé ! Voici ta récompense : un gros caramel aux rognons ! Hé hé... Dans trois jours nous serons chez nous. Et dans une semaine le village sera à ma merci ! Hé hé hé ! Grâce à ces sales petits rejetons ! »

« Ouh ! là ! là ! pense Zolie Lalie, pourvu que Bidochet apprenne vite notre disparition ! Lui seul pourrait inventer quelque chose pour nous délivrer ! »

Cramponné au cou de Méphisto qui tente de le désarçonner, les plumes en bataille, les besicles accrochées par une seule branche, Anatole, ululant des « yepeeh ! » de cow-boy, joue au rodéo.

« Tiens bon, Anatole ! » encourage Bidochet. Il est sept heures du soir au château. Le feu ronfle et pétille dans la cheminée. Le petit ogre ne sait rien encore de l'enlèvement de Lalie et des enfants. Au village personne non plus ne sait...

« Voici deux heures déjà que Raymond et Mathilde devraient être rentrés, se dit Mme Panard sur la porte de sa maison.

— Ma fille n'est pas encore arrivée non plus, lui crie la voisine, Mme Canif, de son escalier.

— C'est curieux ! s'inquiète-t-on de seuil en seuil. Nous devrions aller voir ! »

Et bientôt la rue se trouve couverte d'une armée de mamans crispées d'inquiétude et se battant à coups de parapluie contre les rafales de pluie glacée. La cour de récréation déserte, le préau silencieux, la classe vide les tassent l'une contre l'autre, mortes d'appréhension.

« Où sont donc les enfants ?

— Oh ! le tableau noir n'a pas servi ! On dirait que personne n'est entré ici aujourd'hui !

— Le poêle est froid, il n'a pas été allumé de la journée !

— Vite ! appelons les hommes, il faut battre la campagne, la forêt, les marais. »

Sortant précipitamment de l'école, Mme-Patin se cogne à un objet abandonné sur les marches du perron.

« Grands dieux, un cartable !

— En voici d'autres encore, il y en a plein,

éparpillés par terre. Quelqu'un a dû les attaquer ! »

Des lanternes éclairent à présent les pointes
de fourches, les lames de faux, les nœuds de
gourdins cloutés et les visages, congestionnés
par la course, des maris venus à la rescousse.
Leurs épouses les devinent préoccupés, ten-
dus... Il suffirait d'un rien pour les voir se
mettre à trembler.

Et tout à coup, la lune engivrée et maligne
éclaire tout exprès à leurs pieds une empreinte
de patte qu'a laissée Patatrac dans la boue.

De leurs yeux horrifiés, ils mesurent la
gigantesque trace en grelottant d'effroi.

« Qu'est-ce qui peut bien avoir de si grands
pieds ?

— Croc Goulu le Grand Viandard ! C'est
lui ! C'est la pointure de ses bottes de sept
lieues !

— C'est lui qui détient les enfants prisonniers. Il va les dévorer !

— Assiégeons le château, courons délivrer
nos marmots ! »

— Doucement ! Il est très fort. Prenons-le par la ruse.

— Tendons un piège en travers du chemin qu'il prend chaque matin. »

Tous se dirigent vers la grande forêt et, à la lueur des flammes et flammèches, se mettent à creuser. A creuser profond. Il faut un trou profond pour emprisonner l'ogre. Il faut qu'il reste au fond et qu'il ne puisse surtout pas en sortir.

Après être remontés de la fosse grâce à une échelle de corde, ils étalent, par-dessus des branches, une couche de feuilles mortes et, enfin, un peu de terre pour dissimuler le piège et donner au sentier l'aspect le plus innocent possible.

Un plus futé encore va jusqu'à planter au bord un ravissant champignon de plastique : une girolle ocre d'or à laquelle la gourmandise de l'ogre ne pourra sans doute pas résister.

« Et maintenant, gare à toi, Croc Goulu ! »

*

Comme de coutume, après le petit déjeuner, Grand Viandard enfile ses bottes, empoigne la cognée et file vers la forêt couper du bois. Mais à peine a-t-il, d'une enjambée de sept lieues, tourné le coin du château, que le chef des loups s'en vient à toutes pattes appeler Bidochet.

« Lève-toi ! Dépêche-toi ! crie-t-il au petit ogre. Je viens t'avertir qu'un danger menace ton père. Les hommes du village ont travaillé toute cette nuit à fabriquer un piège !

— Mais pourquoi ? Il n'a rien fait de mal !

— Hâte-toi donc. Tu poseras les questions ensuite. »

Bidochet saute du lit, se chausse et saisit son épée. « Non, toi tu ne viens pas ! commande-t-il à Méphisto qui jappe. Chut ! Tu vas donner l'éveil à Maman, il ne faut point qu'elle s'inquiète ! » Puis, sa rapière à la main, il s'enfonce, à la suite du loup, dans la forêt.

*

Sur ce même sentier, quelques lieues plus loin, sifflote jovialement Croc Goulu. Il aime s'emplir les poumons des bonnes odeurs forestières du matin, ça le met en forme pour travailler.

« Oh ! la belle girolle ! En cette saison, c'est incroyable ! » s'exclame-t-il soudain, baissant son connaisseur de nez vers le champignon factice... Ses gros doigts s'avancent, son pied aussi... Et il sent le sol se dérober sous lui. Avec un craquement semblable au bruit d'une armada de galions s'aplatissant sur une banquise, Grand Viandard s'abat dans un grand nuage de brindilles et de mousse tout au fond du trou...

« Saperlipopette de canard en paupiette ! » rugit-il. Déjà des lassos et des filets d'acier tombent sur lui et l'enserrent. A travers un enchevêtrement de nœuds et de filins, il entrevoit des visages d'hommes penchés au bord du piège.

« Qu'est-ce que ça signifie ? hurle-t-il. En plus, c'est malin, je me suis fait une bosse au front ! » râle-t-il en se tâtant la tête avec sa main droite, qu'il vient de libérer des liens sans effort apparent.

« Il se délivre ! Il a rompu ses entraves, lançons-lui les chaînes ! crie le chef.

— M'enfin ! aïe... Que diable... aïe !... me voulez-vous ? interroge Croc Goulu dans sa fosse, brutalement cogné par une pluie de maillons de fer.

— Lâchez mon papa ! Il n'a rien fait ! » crie soudain une voix jeune mais sèche comme une lanière de fouet. Debout à la fourchette d'un chêne, Bidochet est apparu, menaçant la foule coléreuse de sa petite mais redoutable épée. Plus bas, au pied de l'arbre, un énorme loup noir exhibe un râtelier terriblement garni.

« Vous détenez nos enfants, rendez-les-nous ! demande une maman.

— Nous sommes une centaine et eux ne sont que deux, chargeons ! aboie le chef.

— Mains en l'air ! menace soudain Anatole

arrivant à revers et pointant une mitraillette au bout de l'aile, pattes écartées, un mégot de cigare collé au bec. Vous vous trompez, vos rejetons ne sont pas au château ! Parole !

— Il dit la vérité, tremblote alors, entre deux éternuements, la voix catarrheuse de M. Conforme qui, engoncé de pelisses, d'écharpes, avance péniblement en se mouchant à chaque pas. J'ai tout vu, Viandard est innocent !

— Mais alors, qu'est-ce qui s'est passé ?

— Ma foi, avec ma grippe, je suis arrivé en retard à l'école. Aaatchoum ! Abrés la cabobille, le catablasme, les subbositoires, les gouttes dans le dez, entre dous bas drès effigaces, je be suis bis en... aaatchoum ! chebin. De loin, je voyais les enfants dans la gour de régréation, guand dout à goup un dragon est descendu du ciel et les a avalés ! C'était afaf, af, aaaaftchoumfreux !

— Et vous n'avez rien fait ! reproche Bidochet.

— Qu'aurais-je donc bu faire ? Je suis si

58

betit, vaible et... balade. Je suis tellebent balade !
Et puis j'a, j'a, aaaaatchoum ! vais si beur...

— Il faut... »

Tchac ! Avec un sifflement, une flèche partie d'on ne sait où vient se ficher dans un tronc d'arbre, un message enroulé autour de la hampe encore vibrante. Arrachant le parchemin, Bidochet en lit à voix haute le contenu :

« Je suis Méchant Michu, le roi des montagnes froides, le guerrier le plus puissant de la terre. Vos enfants pleurent au fond de mes cachots, surveillés de très très près par Patatrac le dragon. Reconnaissez-moi comme maître, travaillez pour moi, sinon...

« Dans une semaine, Étriquet le Rabougri, mon Grand Méchant Bêlant, viendra chercher votre réponse, que j'espère positive.

« En attendant de vos nouvelles, je vous prie d'agréer, mesdames, messieurs, l'expression de mes sentiments distingués.

« Méchant Michu. »

Les mères s'évanouissent, les pères serrent les poings.

« Lalie ! Tonnerre ! Il faut les délivrer, papa !

— O.K., fiston », répond Croc Goulu qui, pendant toute cette conversation, tranquillement gonflant son bedon, avait fait sauter toutes les chaînes qui le saucisssonnaient et, libre, venait de jaillir du piège d'un beau bond.

*

Ils sont partis à l'aube, bottés, casqués, armés, le grand d'une cognée, le petit d'une épée, Anatole voletant derrière eux. Ils vont délivrer les enfants prisonniers dans le manoir noir, au sommet des montagnes froides, de l'autre côté du monde, là où l'horrible Méchant Michu cache son repaire fortifié.

Ils avancent courageusement. Ils ont traversé la forêt et franchi trois collines que l'aube rosissait. Ils ont passé une rivière à gué et un fleuve en barque. Bien sûr, on va plus vite quand on est chaussé de bottes magiques, mais les montagnes froides c'est très loin.

Les pays se succèdent, couverts d'autres végétations, d'autres habitations. L'aspect des maisons change et le climat aussi ; tantôt ils ont très chaud, tantôt ils ont très froid. Ils se blessent à des buissons couverts de piquants. Ils ont escaladé une montagne de sable. Ils dorment à la belle étoile, montant la garde chacun leur tour, car il vaut mieux se méfier ; la nuit dernière, de drôles d'individus couverts de fourrures, avec des os dans le nez, les ont attaqués. Ils ont dû se replier vers une savane peuplée d'animaux féroces.

« Eh bien, annonce Anatole revenant d'un vol de reconnaissance. Je vous préviens que ça ne va pas être du gâteau pour franchir ce qui nous attend derrière ce pic rocheux ! »

Effectivement, de l'autre côté, c'est la jungle.

Une jungle verte, verte à ne plus pouvoir manger un seul épinard de sa vie, hostile, impénétrable, entourée d'une vapeur tropicale qui les prend à la gorge dès les premiers cent

mètres. Il faut se tailler un passage à travers les lianes. La cognée et l'épée s'abattent sans cesse, coupent, tranchent, coupent encore.

Harcelé, piqué, mordu au sang par des nuées de moustiques et de maringouins déchaînés, Bidochet s'épuise, il ne sent plus son bras, endolori à force de frapper. La fièvre bat violemment contre ses tempes, mais il ne veut pas s'arrêter et refuse que Croc Goulu le porte. De temps en temps, il ferme les yeux pour mieux imaginer le visage de Lalie souriant au centre d'un cœur tout rose tressé avec des guirlandes de Noël...

« Oh ! regardez ! crie-t-il soudain. La forêt s'éclaircit ! »

En effet les arbres s'espacent, l'enchevêtrement des fourrés d'épineux et de bambous se raréfie et, curieusement, la couleur du feuillage vire du vert profond au brun, du roux à l'orangé... puis s'assombrit en rouge cramoisi. Le sol s'assèche, devient sablonneux, plus facile à fouler. Un parfum de fruits mûrs leur parvient aux narines.

« Si nous campions ici ? propose Croc Goulu. Ces lieux me paraissent tout à fait convenir à un arrêt-dodo.

— Il y a en tout cas de beaux fruits ! constate Bidochet. Je vais en cueillir pour le dessert. » Et enlaçant à bras le corps le tronc lisse, il amorce l'ascension du gros arbre dont les rameaux ploient sous le poids de fruits semblables à des petits melons ronds.

« Attention, je vais en lancer un ! »

Bidochet, couché sur une branche, avance la main vers le plus lourd des fruits. Mais à peine a-t-il touché la peau que l'écorce se fend et qu'un œil apparaît.

« Sauve qui peut ! ce sont des plantes carnivores ! » hurle le hibou.

Heureusement Grand Viandard est un maître bûcheron. Il a tôt fait de délivrer son fils et de transformer le bosquet en clairière.

Mais il leur faut fuir car d'autres arbres poussent, jaillissent du sol et grandissent à toute vitesse. Vite !

Devant eux voilà que s'étend maintenant

une mer toute blanche, environnée de brume.

Ils plongent, Anatole criaille au-dessus d'eux. Ils nagent, nagent côte à côte... quand soudain un courant les sépare, lance Bidochet à la crête d'une vague...

« Papa ! » hurle-t-il.

Mais seul le bruit furieux des vagues lui répond.

Depuis combien de temps Bidochet nage-t-il ? Il ne saurait le dire. Et Anatole ? Et son père ? Que sont-ils devenus ?

Soudain il a l'impression qu'insidieusement le remous s'accélère... Et ce bruit, ne serait-ce pas l'éclatement des flots sur une côte ? Si. Bidochet est tiré en arrière par une vague énorme et se sent monter, monter... et brutalement il est propulsé en avant dans un bouillonnement sonore. Bientôt la grève le reçoit, couché parmi des coquillages et des étoiles de mer.

Trempé et glacé jusqu'aux os, Bidochet saute

sur place pour se réchauffer. Le sable ne porte aucune trace de Croc Goulu. La mer l'aurait-elle englouti ? Non, ce n'est pas possible !

Après quelques dunes basses, le paysage commence à émerger des nuées de brouillard, dressant au-dessus d'une forêt rabougrie les pentes abruptes d'une chaîne montagneuse. Est-ce la montagne froide où le Méchant Michu retient Lalie prisonnière ?

« Brrr ! Il faut que je trouve un abri, que je fasse du feu, sinon je vais mourir de froid. »

Réfugié à l'intérieur d'une vaste caverne, Bidochet regarde pétiller la flambée qui s'élance par une ouverture taillée dans la paroi. Il se laisse aller à la fatigue. Il s'endort...

Pas pour longtemps ! Car à peine a-t-il fermé les yeux qu'une série de cahots ébranle soudain son repaire. L'ouverture de la grotte s'assombrit, une masse énorme l'obstrue, une masse qui se découpe en ombre chinoise et avance, lentement... lourdement...

Bidochet recule jusqu'au fond du boyau de pierre. Il saisit son épée et lève sa torche, éclairant un bien gros, bien gras et bien vilain animal.

Cet animal qui marche vers lui en aiguisant ses crocs n'est autre que la Bête bête.

Elle est tellement lente que Bidochet, profitant d'un instant d'inattention, lui passe entre les pattes et s'enfuit.

Elle est tellement coléreuse que d'une ruade d'impatience elle abat son ancien gîte pour se lancer à la poursuite de l'enfant.

Elle est tellement vorace qu'elle va jusqu'à manger le sable où Bidochet a laissé l'empreinte de ses pas.

Elle est tellement hideuse qu'elle n'ose traverser la rivière que le petit ogre a sautée, de peur d'y voir son propre reflet.

Elle est tellement costaude qu'elle arrache une montagne pour la lancer devant Bidochet.

Mais elle est tellement bête qu'il suffit au petit ogre de tendre vers elle son index en imitant un revolver et de faire « Pan ! » pour qu'elle se croie atteinte d'une balle et tombe morte, foudroyée !

« Victoire ! » claironne le vainqueur. Et il se
paie une partie de toboggan en glissant sur le
ventre du monstre.

« Héhououou, Bidochet ! » S'abattant sur ses
épaules, l'enlaçant de ses ailes et le becquetant
affectueusement, Anatole surgit d'un buisson,
pleurant de joie derrière ses lorgnons.

« Anatole ! Papa ! crie l'ogrelet sautant au
cou de son père. J'ai eu si peur !

« — Et nous alors ! Nous te croyions à jamais perdu ! Dis donc, tu as réussi à occire un sacré gibier ! admire Croc Goulu, serrant fièrement son rejeton contre son vaste poitrail. Mais trêve d'effusions tendres, l'heure est à la bataille ! En venant par ici nous avons aperçu le castel noir de Méchant Michu.

— Où est-il ?

— Là, juste derrière toi. »

*

Le château se profile au sommet d'une chaîne de pics hérissés, il brille au-dessus des glaciers, sombre comme un diamant noir, jetant des éclats froids autour desquels tournoient des bandes de choucas, de corneilles et de freux méchants.

« De l'alpinisme, toujours de l'alpinisme ! » râle le hibou en volant derrière les grimpeurs collés au flanc abrupt de la montagne.

Accrochés aux rochers presque lisses, ils

escaladent depuis deux longues heures une muraille de pierre qui surplombe le vide.

Ouf ! Enfin, ils sont arrivés ! Soufflant et s'étirant, ils contemplent, harassés, les épaisses murailles qui s'élèvent vers les nuages glacés. Puis, se glissant furtivement sous le couvert des fougères qui tapissent les fossés, ils avancent jusqu'au pont-levis de fer, fermé évidemment.

« Bon, ben, le plus gros reste à faire ! soupire Croc Goulu. Même la première meurtrière est hors d'atteinte, alors !

— C'est un véritable coffre-fort que ce fort-là, chuchote Anatole. Vous avez un plan ? »

Plan ! Rantanplan ! En avant ! Bidochet a une idée ! Croc Goulu va le hisser jusqu'à la serrure d'une porte colossale qui s'ouvre dans le mur : ce doit être l'entrée par où passe le dragon.

« Mais s'il était justement derrière ! s'inquiète Grand Viandard.

— Bof ! on verra bien. La serrure est si grande que je peux facilement me glisser à l'intérieur. Une fois cet obstacle passé, je saute

dans la cour, je me faufile jusqu'au corps de garde, j'assomme les gardiens et j'abaisse le pont-levis.

— Bonne idée, approuve le père, mais assommer les gardiens, comment t'y prendras-tu ?

— Je trouverai bien le moyen comme pour la Bête bête.

— Quant à moi, complote Anatole, je vole jusqu'en haut des remparts, je les franchis et je fonce t'aider. D'accord ?

— D'accord, le premier arrivé au poste de garde attend l'autre. »

Rapidement et silencieusement l'homme et l'enfant s'approchent de la poterne sur la pointe des bottes tandis que l'oiseau prend son vol. Croc Goulu, d'une main, soulève Bidochet à hauteur de la serrure et se colle sous la voûte pendant que son fiston se glisse à l'intérieur.

« Ça va ? interroge l'ogre.

— Ça ira ! A tout de suite, Pa'. » Et enjambant le palastre, les ressorts et autres pièces du mécanisme, Bidochet traverse la serrure et jette un coup d'œil de l'autre côté. Tout est sombre dans la cour du manoir. Méchant Michu doit être sûr que son puissant nid d'aigle est imprenable, et du coup il néglige de placer des sentinelles. Pas un soldat sur le chemin de ronde !

« Tant mieux ! » dit Bidochet et, serrant sa rapière, il saute. A pas feutrés, il longe la muraille, rase les écuries et traverse en courant une place pavée. Il n'a vu personne ! Personne ne l'a vu. Jusqu'ici tout va bien !

Tout à coup des voix le rejettent au fond d'une encoignure. Elles proviennent du poste de garde, là, juste près du cabestan qui remonte et descend le pont-levis. Le cabestan qui se trouve juste derrière la grille. La grille dont les clefs se trouvent sur la table du gardien-chef qui avec trois autres soudards joue aux cartes en buvant des pots de bière.

« Il faut absolument que j'arrive à attraper ce trousseau », se dit le petit ogre en lorgnant les clefs par la fenêtre.

Tandis que Bidochet médite sur la façon

d'attaquer, une ombre doucement s'approche derrière lui pour mieux le surprendre et...

« Halte là, que faites-vous ici ? » aboie une voix.

Il n'a pas le temps de se retourner, déjà une main s'abat sur son épaule.

*

Ce n'est pas une main, c'est une serre. Ce n'est pas un ennemi, c'est Anatole.

« Ah ! c'est malin, le gronde Bidochet, flageolant d'émotion. Si j'avais crié, hein, nous aurions eu bonne mine tous les deux !

— Que veux-tu, je suis né farceur, dit le hibou essayant de se faire pardonner. On ne se refait pas. Hé, tu vois le gros rougeaud, là-bas, qui ôte toujours son casque pour s'éponger le crâne. Son petit manège me donne une idée. » Et en moins de temps qu'il n'en faut pour l'écrire, le hibou s'engouffre dans la pièce, passe sous la table, puis sous le siège du gros rougeaud et, profitant de ce qu'une fois encore,

machinalement, il soulève son casque, Anatole
va se nicher au fond du heaume d'acier. Le
joueur, qui n'a rien senti, continue de jouer
comme si de rien n'était.

« Cet été je vais à la mer comme tous les ans, répond le gardien-chef à un de ses guerriers qui l'interrogeait.

— Ah ! Où cela ?

— A Biscarosse, dans les Landes. A toi de jouer.

— Hou ? nasille Anatole.

— A Biscarosse dans les Landes. Je viens de le dire ! rugit le chef, foudroyant du regard le gros rougeaud.

— Hou ? renasille Anatole.

— A Biscarosse, dans les Landes ! T'es sourd ou tu te paies ma tête ? rugit le chef au gros rougeaud.

— M... mais j'ai rien dit, chef ! se défend-il. J'vous l'jure, chef, croix de bois, croix de fer, si j'mens j'vais en enfer.

— Hou ! rerenasille alors Anatole, toujours farceur.

— Ah ! c'est comme cela, mon gaillard ! » Virant au cramoisi, le chef a empoigné le garde... et c'est le pugilat, la bagarre, le massacre. Profitant de la mêlée, le hibou est

prestement sorti de sa cachette, a attrapé les clefs, et quelques instants plus tard la grille est ouverte, la corde du cabestan est tranchée et dans un fracas terrible le pont-levis tombe.

« A la garde ! s'égosillent un peu tard les gardes, juste avant d'être aplatis par la foudroyante arrivée de Croc Goulu.

— En avant ! » clament le père et le fils.

De partout sortent des soldats. Il en sort des centaines, comme des rats d'un gruyère : des piquiers, des lansquenets, des mercenaires, des chevaliers, des archers, des mousquetaires, des hussards, des spahis, des arbalétriers, des cavaliers, des troupiers, des cuirassiers, des uhlans lents, des grenadiers, des hallebardiers, des tirailleurs, des réformés, des gens d'armes, des arquebusiers, un pompier, des zouaves, tous armés de pied en cap et courant sus à l'adversaire, le sabre au clair. Ils sont des centaines à cerner les trois héros. Mais les héros, de coups de pointe en moulinets, repoussent les soldats.

Bidochet, quittant son père occupé à tailler des saucissons dans les rangs adverses, s'enfonce par une série de couloirs voûtés dans les caves du château.

Au bout des caves s'ouvre un étroit boyau qui mène aux souterrains... et aux cachots. L'escalier tournoyant descend de plus en plus loin, de plus en plus profond.

« Lalie ! crie l'ogrelet.

— Bidochet ! répond la petite voix de Lalie.

— J'arrive !

— Je savais que tu viendrais... »

Encore une bonne cinquantaine de marches et il est arrivé. Un tour de clef, ils s'enlacent, s'embrassent, se mirent de tous leurs yeux comme s'il y avait des années qu'ils s'étaient quittés. Les autres enfants, délivrés, les entourent, acclament Bidochet. Mais...

« Vite ! Il faut fuir, il n'y a pas une seconde

à perdre ! » ordonne le petit ogre. Et tous le suivent à la queue leu leu dans le dédale des corridors, cherchant une sortie qui les mène à l'air libre.

« Par ici ! » Une lueur clignote au-dessus d'eux, révélant un soupirail qui débouche dans la cour où la bataille fait rage. Sous les coups de Grand Viandard, l'armée chancelle, se dérobe, bat en retraite. Partout on entend des soldats crier : « Pouce ! je suis mort ! Je ne joue plus. »

Bidochet rejoint son père, et son épée s'abat et cabosse bien des casques. Les garçons lancent des pierres, les petites filles font des croche-pieds. Quand soudain du haut de son donjon apparaît dans un nuage d'étincelles Méchant Michu en cuirasse noire, flanqué d'Étriquet le Rabougri qui, pour faire plus d'effet, a allumé un feu de bengale derrière lui. Ils n'ont pas l'air contents du tout en voyant la tournure que prennent les événements.

« Patatrac ! hurle Méchant Michu. Attaque ! »

Poussant son sinistre « Graoutchmeuh ! », le dragon géant surgit de sa niche, s'élance pleins gaz vers le ciel, vrombit des réacteurs, enclenche ses vitesses sans accrocher et passe le mur du son avec un « bang » pas piqué des hannetons, qui dégarnit toutes les toitures de leurs tuiles et le Grand Méchant Bêlant de sa perruque postiche.

Dans un sifflement assourdissant, les ailes écartées et les griffes sorties comme des lames de couteau à cran d'arrêt, le monstre descend à une vitesse vertigineuse.

« Quand je pense que c'est avec ce hideux animal que les villageois m'ont confondu ! » murmure Croc Goulu.

« Graoutchmeuh ! »

*

« Graoutchmeuh, c'est vite dit ! » rétorque Grand Viandard. Et avant que Patatrac arrive jusqu'à eux, l'ogre, dépliant sa carcasse, pousse un cri de guerre et s'élance vers le monstre

dans un bond de sept lieues. Il l'attrape au vol et le saisit à bras-le-corps. Tous deux s'écrasent au sol et mordent la poussière... pendant que Bidochet, suivi d'Anatole, emprunte le chemin de ronde qui monte au donjon, bien décidé à en finir une fois pour toutes avec le roi des montagnes froides.

« En garde, vous deux ! » crie-t-il à Méchant Michu et Étriquet le Rabougri en arrivant au sommet du donjon où se sont réfugiés les deux misérables.

« Ha, Ha ! moucheron, tu oses te mesurer à moi !

— D'abord aux âmes bien nées la valeur n'attend pas le nombre des années, et puis certains coups d'essai valent des coups de maître. »

Tac tac... Le duel commence par quelques coups rapides, chacun s'efforçant de jauger l'adversaire. Mais hélas, l'odieux Michu est un fameux bretteur.

Étriquet le Rabougri, quant à lui, se trouve en fâcheuse position. Après avoir échangé quelques coups de rapière avec Bidochet, il s'est vu assaillir par Anatole dont le bec et les serres l'ont acculé au vide, tout au bord d'un créneau. Encore un pas et...

« Aaaaaaaaaah ! » Ça y est, le Grand Méchant Bêlant est tombé.

*

Bidochet à présent en a assez de parer et riposter, de parer et d'attaquer en vain. Il pense aux leçons d'escrime de son père et particulièrement à la botte secrète que les Viandard se transmettent de père en fils. Et, concrétisant les bons conseils de papa, un bout de langue sorti en signe d'application, Bidochet met en pratique la fameuse botte secrète : d'un seul coup d'un seul il écrase les orteils du tyran de sa botte de trois lieues et demie.

« Ouaaïleyaouiiiihoulalahouhououaou ! » s'étrangle Méchant Michu, sautant sur un pied et tenant l'autre à deux mains. Saute tant et si bien qu'il ne voit pas la trappe des oubliettes béante derrière lui, et disparaît, glissant par un abîme d'où il ne remontera jamais.

*

« Victoire ! » crie Bidochet agrippé à la pointe de la tour. En bas, il aperçoit son père, qui en a fini avec le gros dragon : après avoir définitivement détruit sa réserve à mazout, il a bouché à la cire la gueule, les narines, les oreilles du monstre, et soufflant dans sa queue, l'a gonflé et transformé en un ballon dirigeable, tout vert et rouge, avec en guise de cordes des rubans coupés dans les justaucorps des guerriers vaincus.

« Tu viens, fiston ? appelle Grand Viandard. On rentre à la maison. »

Tous alors — le père, le fils, le hibou et les enfants — montent dans la nacelle que l'ogre a adaptée au dirigeable et doucement ils s'élèvent dans le ciel en riant et en chantant.

Le petit ogre a pris Zolie Lalie dans ses bras... Ils se disent des mots tendres.

Le paysage peu à peu redevient familier. Bidochet aperçoit au creux d'un écrin de forêt le château, son château où maman doit attendre !

« Coucou, c'est nous ! » piaillent les enfants. Les parents, sortant tout étonnés des maisons, lèvent vers le dirigeable un visage au sourire radieux.

Grand Viandard, débouchant un orifice du dragon, fait descendre doucement le ballon vers la place. A peine ont-ils touché le sol que l'on fête les héros. Sylvine aussi est accourue. Comme il est bon de se retrouver !

Vite, partout, on accroche des guirlandes, des lampions, des banderoles sur lesquelles est écrit en lettres majuscules : « VIVE BIDO-CHET ! VIVE CROC GOULU ! » Et la fanfare passe dans les rues en lançant de joyeux flonflons. Tout le monde (sauf évidemment M. Conforme qui boude derrière sa fenêtre, une bouillotte sur la tête) est venu embrasser le petit ogre. Le cœur de Bidochet bat de bonheur car le papa et la maman de Lalie lui

ont promis qu'elle viendrait jouer avec lui chaque mercredi après-midi.

« Graoutchscshshiiii ! » expire Patatrac en se dégonflant définitivement, tandis que claquent les pétards annonçant le bal champêtre.

« Me feras-tu l'honneur de cette première danse ? » demande Bidochet à Zolie Lalie, avant de trébucher dans les bottes de son père qui valse déjà avec Sylvine...

Composition réalisée par C.M.L., Montrouge

Achevé d'imprimer par Ouest Impressions Oberthur
35000 Rennes - N°8864 - Janvier 1989
ISBN 2.010.13668.3 - Dépôt légal éditeur n°1616